JEUNESSE

COLLECTION DIRIGÉE PAR **ANNE-MARIE AUBIN**

Les Chats d'Aurélie

Les Chats d'Aurélie

CHARLOTTE GINGRAS
ILLUSTRATIONS: GENEVIÈVE CÔTÉ

ROMAN

QUÉBEC/AMÉRIQUE JEUNESSE

1380 A, rue de Coulomb
Boucherville, Québec J4B 7J4
(514) 655-6084

Données de catalogage avant publication (Canada)

Gingras, Charlotte, 1943-
Les chats d'Aurélie
  (Bilbo jeunesse ; 52)

  ISBN 2-89037-668-0
  I. Titre. II. Collection.

PS8563.I58C42 1994   jC843'.54   C94-940245-1
PS9563.I58C42 1994
PZ23.G56Ch 1994

Les Éditions Québec/Amérique bénéficient du programme de subvention globale du Conseil des Arts du
Canada.

Dépôt légal:
4ᵉ trimestre 1994
Bibliothèque nationale du Québec
Bibliothèque nationale du Canada

Diffusion:
Éditions françaises
1411, rue Ampère
Boucherville (Québec)
J4B 5W2
(514) 641-0514
(514) 871-0111 - région métropolitaine
1-800-361-9635 - région extérieure
(514) 641-4893 - télécopieur

Révision linguistique: Marcelle Roy
Montage: Anie Massey

1

UN BRUIT BIZARRE

Le nez collé contre la vitrine de l'animalerie, Aurélie aperçoit les cages, là-bas, au fond de la boutique. Dans chacune d'elles, des animaux à vendre : des chiots, des lapins aux oreilles soyeuses, des cochons d'Inde et surtout, surtout... des portées de chatons. Elle soupire, comme chaque après-midi lorsqu'elle s'arrête devant la vitrine en revenant de l'école.

C'est DÉ-FEN-DU. Elle n'aura pas de chat. JA-MAIS. Le logement est déjà bien trop petit.

Aurélie dort dans la chambre du fond, et Marthe, sa mère, dans le salon. Le salon est aussi la pièce où Marthe travaille. Et si un chaton bousculait ses piles de documents, gambadait sur sa grammaire française...! Ou pire encore, s'il laissait des traces de griffes sur les dictionnaires et mordillait le coin des pages... Ce serait une CATASTROPHE!

Pourtant, pense Aurélie, je prendrais bien soin de mon chat. Il ne ferait pas de sottises. C'est moi qui lui donnerais à manger. Il pourrait rester dehors pendant que j'irais à l'école. Je viderais moi-même sa litière...

Pour la litière, Aurélie hésite. Elle est moins sûre. En tout cas, elle essaierait.

Elle se hisse sur la pointe des pieds. Elle tente d'apercevoir, dans la dernière cage, à droite, un nouveau pensionnaire qu'elle n'a jamais vu. Il n'était pas là hier après-midi.

Un minuscule chaton bigarré, dressé contre les barreaux de la cage, la regarde avec curiosité. Ses oreilles sont toutes droites et ses grands yeux, vert émeraude. Ses moustaches frémissent comme des antennes.

— Oh qu'il est beau celui-là! Et si petit! Avec son poil plein de taches!

Aurélie se met à rêver, le nez appuyé contre la vitre. Elle imagine le chaton sur ses genoux. Elle caresse ses oreilles, le petit animal ronronne et se tourne sur le dos, il bâille, il s'étire. Ou alors Aurélie cache sa main sous l'édredon et le chat fonce à l'attaque, il lui mord la main sans lui faire mal. Ou ils courent tous les deux dans l'étroit corridor. Il fait semblant d'avoir peur, il fait le gros dos...

Mais brusquement Aurélie sort de la lune, secoue la tête, ses tresses bondissent d'un côté à l'autre. Comme d'habitude, lorsqu'elle s'arrête devant l'animalerie, elle a oublié le temps. Et sa mère qui veut absolument qu'elle revienne directement à la maison après l'école! Dès quatre heures, elle commence à s'inquiéter. Et lorsqu'elle s'énerve, elle crie : « Aurélie! Où étais-tu passée? Je t'ai dit cent fois de ne pas traîner dans les rues! »

Aurélie ne regarde plus le chaton bigarré, elle se remet en marche, préoccupée. Si elle avait une montre, elle oublierait moins le temps peut-être. Maintenant qu'elle est en deuxième année, elle sait lire l'heure, les quarts d'heure, les minutes et même les secondes! Elle se hâte, elle marche si vite que son sac à dos en est tout secoué. Accrochée autour de son cou par une cordelette, la clé de la porte d'en avant se balance de gauche à droite sur sa poitrine. Aujourd'hui, elle est supposée arriver la première à la maison. Marthe, sa mère, est allée chercher un nouveau contrat de révision.

Elle exerce un drôle de métier, sa mère. Toute la journée, elle corrige des fautes d'orthographe, elle inscrit au crayon rouge des signes mystérieux dans les marges, elle consulte ses lourds dictionnaires. Et Marthe ne gagne pas beaucoup d'argent, parce qu'elle n'est pas réviseure depuis très longtemps.

Aurélie marche de plus en plus vite. Dans sa tête, les pensées se bousculent.

Son père, lui, il téléphone de temps en temps, mais elle ne le voit presque jamais, et toujours à la course. Est-ce qu'il aime les chats? Elle n'en sait rien, elle le connaît si peu...

Aurélie tourne le coin de la rue à toute vitesse, elle dérape presque. Et c'est là, tout de suite, que se dresse la grande maison à trois étages et à six logements où elle habite. Chaque porte est peinte d'un bleu différent. C'est à ces couleurs qu'on reconnaît la coopérative d'habitation « Les portes du Paradis ». Devant l'escalier en colimaçon, le vieil érable commence à déplier ses feuilles de printemps.

Essoufflée, Aurélie s'assoit sur la première marche de l'escalier et laisse tomber son sac à ses pieds. Elle peut reprendre sa respiration. Elle est arrivée la première, c'est certain.

La petite fille se penche pour ramasser son sac d'école. Soudain, un bruit bizarre. Mais qu'est-ce que c'est? On dirait un gémissement...

2

UN CHAT ORPHELIN

Aurélie jette un coup d'œil autour. Pourtant, rien ne bouge. Elle prête l'oreille. Dans le silence, une autre plainte monte, très ténue. Un murmure triste, ou des pleurs... Le murmure vient de sous l'escalier, on dirait. Elle fouille du regard entre les marches.

Sous l'escalier, il fait noir comme la nuit noire, même si là-haut le soleil étincelle à travers les nouvelles feuilles de l'érable, même s'il fait luire doucement toutes les portes bleues de la maison aux six logements.

Elle plisse les yeux, quelque chose brille dans la pénombre. Deux petites lanternes.

— Un chat!

Le cœur d'Aurélie bondit comme un ballon. L'animal pousse un autre miaulement triste. Il cligne ses yeux-lanternes plusieurs fois de suite.

— Viens minou, approche que je te flatte. Qu'est-ce que tu fais là tout seul? Tu as perdu ton chemin?

Le chat n'a pas de collier. Il ne bouge pas, il observe seulement.

Aurélie fait le tour de l'escalier. Elle se met à quatre pattes et avance prudemment vers lui. Sous ses genoux, les vieilles feuilles mortes de l'année dernière sont sales et mouillées. Le chat, tapi, la tête entre ses pattes d'en avant, ne se sauve pas. Il fixe avec attention la petite fille qui s'approche en rampant.

Aurélie étire le bras avec précaution. On ne sait jamais! S'il allait la griffer? La mordre? Mais non. Elle passe une main timide sur la tête de l'animal, le prend délicatement par la peau du cou, tire en douceur. Le chat suit le mouvement, se met sur ses pattes, chancelle. Il s'en vient vers Aurélie. Il titube.

Aurélie le lâche, recule un peu, le chat avance toujours, il boite. Une de ses oreilles a l'air déchirée.

— C'est ça, minou, viens.

Aurélie, toujours à quatre pattes, émerge à reculons dans la lumière. Elle ne quitte pas du regard l'animal blessé. C'est un gros chat. Complètement noir.

Soudain, derrière elle, un grincement de vieux freins rouillés. Le chat s'aplatit, effrayé. Aurélie se retourne à moitié, fait un signe avec la main. C'est Vincent le barbu, le voisin d'à côté, qui arrive à cheval sur son vélo. Il revient du travail.

— *Hello Sweetheart* !

Sweetheart, lui a-t-il expliqué un jour, en anglais ça veut dire mon doux cœur.

— Vincent, regarde qui j'ai trouvé!

Vincent appuie son vélo contre l'escalier, s'approche et s'agenouille à côté d'elle. Il caresse la tête de l'animal avec ses grandes mains. Très lentement. Aurélie aime Vincent parce que ses gestes sont toujours doux et qu'il ne s'impatiente presque jamais. De tous les membres de la coopérative, c'est lui son préféré. Elle aime aussi Ramondito le bébé de Carmen, et Jeanne, et René, et monsieur Tremblay qui est trop vieux pour avoir un prénom, mais Vincent, lui, c'est presque un ami. Même sa mère le trouve sympathique.

— Tu l'as déjà vu ce chat-là, toi, Vincent?

— Ah! non, jamais. C'est un

vieux matou de ruelles, un batailleur, on dirait. Il est blessé, regarde, une vilaine plaie, là, sur sa gorge.

Accroupis côte à côte sur le sol mouillé, Vincent et Aurélie observent le chat qui vient se blottir contre eux, mettant sa grosse tête noire sur les genoux pointus de la petite fille.

Le cœur d'Aurélie se serre. Elle a envie de le prendre dans ses bras. Elle n'ose pas, de peur de lui faire mal. Il n'est vraiment pas très beau, avec son poil tout pelé et son oreille droite qui pendouille... mais quelle importance? Ce chat-là, il n'a personne... peut-être que...

— Regarde, Vincent, il veut rester avec moi! C'est un chat orphelin!

— Oh! *Sweetheart*, c'est pas certain. Peut-être que son maître le cherche... Enfin, s'il a un maître! Et puis, ta mère ne veut pas de chat. Tu lui a déjà demandé cent fois... Tu ne vas pas recommencer!

Vincent a raison, Aurélie le sait bien. Mais ce pauvre minou, on ne peut pas le laisser comme ça! Quelqu'un doit en prendre soin! Elle caresse le pelage de l'animal blessé. Son cœur fond comme du miel de trèfle dans la bouche.

— Je suis sûre que c'est un chat errant! As-tu vu ses yeux verts, comme ils brillent? Ils lancent des paillettes dorées! On dirait des étoiles.

Vincent fronce les sourcils.

— Verts? Ils ne sont pas plutôt jaune sale?

Aurélie n'écoute plus. Le chat, lui, ronronne faiblement.

— Tu es content, murmure-t-elle, tout bas. Tu as trouvé quelqu'un pour te protéger.

Mais la porte bleu ardoise, au deuxième étage, s'ouvre brusquement. Aurélie lève la tête, surprise. Sa mère était là avant elle!

— Aurélie! Où étais-tu encore passée? Je t'ai dit de ne pas traîner après l'école! Rentre tout de suite!

3

KING KONG

De l'autre côté de la porte bleue, le logement est minuscule. Presque un nid d'oiseaux. Aussi, Marthe exige que l'ordre règne dans le salon, le corridor, la salle de bains et même dans la chambre. Sinon, le chaos prendrait toute la place.

Le chaos, Aurélie comprend que c'est un désordre si grand qu'on ne sait plus comment y faire le ménage. Tout se mélange. Comme les petits pois avec les poires, les légos avec les bas, les livres d'école avec les fourchettes.

Pour l'instant, une petite fille penaude s'immobilise devant sa mère sans dire un mot. Ça commence mal. Elle a oublié le temps deux fois aujourd'hui. D'abord devant la vitrine de l'animalerie, puis au bas de l'escalier en colimaçon.

Vincent se tient derrière elle, tenant dans ses grands bras le chat blessé. Ils sont là tous les quatre, dans le salon exigu, sur le seuil de la porte. Les yeux noirs de sa mère lancent des flammèches.

— Un animal couvert de puces! Moi qui m'inquiétais pour toi, Aurélie, pendant que tu t'amusais avec ce... avec ce... Avec cette bête dégoûtante!

Parfois, le chaos s'installe aussi dans les paroles. Comme lorsqu'un volcan crache dans toutes les directions. Du feu, des cailloux, de la lave.

— Tes genoux! Tu as vu tes pantalons? Il va falloir que je

fasse un lavage en plus! Toi Vincent, bien sûr, tu l'encourages! Et je n'ai pas eu mon contrat!

Aurélie baisse la tête, voit deux énormes taches boueuses sur sa salopette. Elle a marché à quatre pattes sous l'escalier, n'a pensé à rien, seulement au chat perdu. Elle a envie de pleurer, tout est fichu par sa faute. Elle murmure faiblement.

— Mais maman, le chat...

— Va réfléchir dans ta chambre! Fous-moi la paix avec tes chats! Et ferme la porte!

Aurélie jette un coup d'œil furtif au chat noir. Il lui envoie encore une ou deux paillettes en clignant des paupières. Elle baisse les yeux et se traîne les pieds tout le long du corridor jusque dans sa chambre : sa tanière.

Elle ferme la porte à moitié. Question d'entendre ce que disent les adultes. C'est difficile. Sa mère n'a plus sa voix de colère, elle parle bas. Celle de Vincent, plus grave, est presque inaudible.

Quelques mots glissent le long de l'étroit corridor, parviennent jusqu'à son oreille tendue.

— ... trop dur, toute seule avec une enfant. Heureusement que son père envoie un peu d'argent tous les mois. Mais...

— Pleure pas, Marthe...

Aurélie décide de revenir en catimini. S'avance le plus près possible du salon sans être vue. S'immobilise. Elle entend tout, maintenant. Sa mère renifle.

— Il faut que je trouve un autre contrat au plus vite. Et ce chat, Vincent, il a l'air drôlement amoché. Qu'est-ce qu'on en fait?

— Il faut poser des affiches « Chat trouvé » aux alentours, je m'en charge tout de suite après le souper. J'espère qu'il appartient à quelqu'un. Mais si on ne trouve pas son maître, Aurélie va vouloir le garder, tu sais...

Le volcan recommence à cracher n'importe comment.

— Pas question! C'est déjà réglé! J'ai pas de place! J'ai pas d'argent pour le faire soigner! Et c'est une horreur, ce matou!

Et après un silence:

— Il faudra bien que ma fille devienne raisonnable, à la fin, avec ses histoires de chats.

Aurélie en a assez entendu. Sans faire le moindre bruit elle retourne vers sa chambre et referme la porte derrière elle. Sur son lit, une grosse poupée blonde, assise confortablement, la regarde avec des yeux stupides. Aurélie la déteste. Elle l'a toujours détestée. En secret, elle l'a baptisée King Kong, un nom de gorille géant. Le cadeau que sa mère lui a offert pour ses huit ans! Comme si elle voulait une poupée!

Elle crache entre ses dents.

— Qu'est-ce que tu fais là, toi, gros singe? Marthe t'a encore installée sur mon oreiller! Décampe!

Aurélie court vers le lit. Empoigne la lourde poupée à deux mains. La secoue.

De toutes ses forces elle plaque King Kong contre le mur. Elle gronde entre ses dents.

— J't'haïs! J't'haïs! J't'haïs!

4

TRICOLORE

— Aurélie, viens, les macaronis au gratin sont prêts. Viens ma chouette d'amour.

La voix calmée de sa mère suit le chemin du corridor jusqu'à la chambre. Aucune trace de colère, de flammèches ou de cailloux qu'on lance. L'odeur du fromage parcourt le même chemin jusqu'aux narines d'Aurélie.

Elle est restée dans sa chambre, même si elle avait assez réfléchi. Elle a ouvert son sac, sorti son livre de lecture. Elle a lu toute la page sans rien comprendre.

L'affreuse King Kong gît par terre, exactement là où Aurélie l'a laissée tomber.

Elle regarde par la fenêtre, le lilas de la cour commence lui aussi à dérouler ses feuilles. Dans un mois, a dit sa mère, le parfum des grappes violettes se répandra dans la chambre. Dans un mois, on gardera la fenêtre ouverte. Aurélie aura presque fini sa deuxième année. Mais les vacances sans un ami, à quoi bon?

Elle regarde sans voir. Elle ne pense qu'au chat perdu. Vincent l'a amené chez lui en attendant. A-t-il un maître? Va-t-on le retrouver? Sinon, que va-t-il arriver au pauvre chat noir?

Aurélie se lève, marche en traînant les pieds jusqu'à la cuisine. Malgré elle, son nez suit tout seul l'arôme du fromage gratiné. Quand sa mère veut faire la paix, elle cuisine le plat préféré de sa petite fille.

Sur le réfrigérateur, Marthe a

collé un nouveau papier jaune sur lequel on peut lire : TRI-COLORE.

Chaque soir, c'est une habitude, Aurélie doit apprendre un mot nouveau. Aussi, à l'école, elle gagne toujours aux jeux d'épellation. Chaque soir Marthe choisit un mot dans le dictionnaire, elle l'apprend à sa fille. Lorsque Aurélie sera grande, elle connaîtra la signification de tous les mots et elle les écrira parfaitement.

D'ailleurs, sa mère est un chasseur de fautes d'orthographe. Quand elle en trouve une, elle la tue avec son crayon. Comme une mouche qu'on écrase.

Marthe pose sur la table les assiettes de macaronis. Elle sourit.

— TRICOLORE, ça veut dire trois couleurs. Tu vois, TRI signifie trois, et COLORE veut dire couleur.

Aurélie n'écoute pas. Dans sa

tête elle ne voit que la couleur noire. Une fourrure noire. Douce comme la soie. Elle lève la tête.

— Maman, après souper, est-ce que je peux aller poser des affiches avec Vincent?

5

DES AFFICHES PARTOUT

Ils reviennent par les rues d'alentour. Aurélie pointe du doigt le poteau des feux de circulation. C'est là qu'on voit souvent les annonces des bazars et des ventes de garage.

— Là! Il faut poser la dernière affiche, Vincent!

Pendant l'heure du souper, Vincent a composé le texte de l'affiche sur son ordinateur. Ensuite il a imprimé vingt copies. Quand Aurélie l'a rejoint, elle a souligné deux fois de son mar-

queur rose le titre de chacune :
CHAT TROUVÉ.

Pour leur expédition, ils ont apporté avec eux l'agrafeuse et le ruban adhésif. Aurélie a transporté les affiches dans son sac à dos. Ils sont allés jusqu'à la troisième avenue.

Avant de partir, en engouffrant la dernière bouchée de macaronis, Aurélie a épelé docilement le mot TRICOLORE. De toute façon, c'était un mot facile, aujourd'hui. Pas comme CAHIER, par exemple, qu'Aurélie veut toujours écrire avec un Y : CAYER. Ou comme le piège dans le mot ATTENDRE, qui prend deux T de suite, allez donc savoir pourquoi!

Aurélie sort de son sac la dernière affiche. Vincent la fixe solidement sur le poteau avec le ruban adhésif.

Ils reviennent vers la coopérative aux portes bleues. Vincent presse Aurélie de marcher plus vite, il a hâte de rentrer chez lui, il n'a pas soupé, il n'a pas eu le temps. Son estomac fait des gargouillis.

Le vieux monsieur Tremblay marche avec sa canne devant la maison. Ses jambes sont devenues très faibles cette année. Monsieur Tremblay a déménagé au rez-de-chaussée, et René a pris son logement au troisième. Il leur fait signe, avec la tête. D'habitude, Aurélie le salue timidement, mais ce soir, elle est trop préoccupée.

— Vincent, est-ce que je peux aller chez toi dire bonne nuit au chat noir?

— O.K., mais fais vite, Aurélie, Marthe t'attend.

Dans le salon, le chat noir sommeille dans une boîte de carton. Au fond de la boîte, une vieille couverture à carreaux repliée, et à côté, un bol de nourriture plein et un autre avec de l'eau fraîche. Vincent a pris bien soin du chat aux yeux-lanternes.

Le chat soulève lentement les paupières lorsque Aurélie s'approche. Il la reconnaît, elle en est certaine. Les prunelles vertes essaient de lancer des éclairs dorés dans sa direction.

Vincent se prend une bouteille de bière dans le réfrigérateur et s'affale sur le divan. Il étend ses longues jambes.

Aurélie s'assoit par terre et caresse tendrement la grosse tête. Elle lui chuchote ses confidences.

— Tu sais, chat, j'ai réfléchi. Je sais que je ne pourrai pas te garder. Mais on a posé des affiches partout, on va retrouver ton maître. Viendras-tu me voir? Tu sais où j'habite maintenant. J'ai hâte de savoir comment tu t'appelles. Demain, mon gros minou, tu vas retourner chez toi. En disant les derniers mots, Aurélie devient si triste que ses yeux se brouillent. Elle aimerait tant qu'il reste avec elle pour toujours! Mais comment faire?

La sonnerie du téléphone la fait sursauter. Déjà le propriétaire? Vincent allonge le bras, décroche. Mais c'est Jeanne. Monsieur Tremblay n'arrive plus à ouvrir sa porte, elle est coincée. Il attend chez elle. Vincent pourrait-il venir?

Vincent raccroche et grommelle. De mauvaise humeur, tout à coup.

— J'aimerais ça des fois qu'on me laisse tranquille dans cette coopérative. Les clés égarées, les vitres cassées, les chats perdus. Et maintenant les portes qui coincent! Allez, rentre chez toi *Sweetheart*, c'est fini la visite!

6

ARRÊTE ÇA!

Marthe a fait le lavage. Dans la chambre du fond, elle a déposé sur la commode la salopette, le chandail et les bas d'Aurélie. À côté des vêtements empilés, la poupée blonde trône fièrement.

Aurélie a pris son bain avec de la mousse, mis son pyjama aux lutins bleus, brossé ses dents. Elle est prête pour le sommeil et pour une dernière tentative. Un nouvel argument a fait son chemin dans sa tête pendant qu'elle se laissait flotter dans la mousse aux algues.

Marthe, comme tous les soirs, vient la border et lui apporter une tasse de lait chaud avec du miel de trèfle.

Elle se penche vers sa fille et l'embrasse sur la joue. Marthe sent bon. Aurélie reconnaît l'odeur de la crème sur ses mains, de la crème qui sent l'ananas.

— Tiens, bois ton lait, ma chouette. Tu n'as pas oublié le mot du jour au moins?

— Tri-co-lo-re, articule Aurélie distraitement, toute préoccupée par ses pensées.

— C'est demain, à l'école, que vous faites le concours d'épellation? demande Marthe.

Aurélie ne répond pas. Comment va-t-elle parler à nouveau du chat perdu sans que sa mère se fâche? Elle prend une minuscule voix, un peu éraillée, un peu tendue.

— Toi, quand tu étais petite, qu'est-ce que tu voulais le plus au monde? Un chien ou un chat?

Ou un serin dans une cage? Un hamster?

Marthe sourit.

« Ouf! Ça commence bien », pense Aurélie.

— Je désirais une grande poupée, avec des boucles, des rubans et une robe rose!...

Aurélie n'en revient pas. Une poupée! Quelle drôle d'idée! Elle avale une gorgée de lait chaud, jette un coup d'œil vers la commode, vers King Kong qui, justement, porte une robe à rayures roses et des rubans dans sa perruque blonde. Une poupée, quand on la touche, ça ne bouge même pas le petit doigt. Ça regarde toujours à la même place, les yeux vides. Le corps tout raide. Une poupée, ça ne peut pas être une amie...

Mais une lueur triste passe dans les yeux de Marthe.

— Pour ma fête, ou pour Noël, on m'offrait des patins, des livres, des beaux vêtements...

Elle soupire.

— J'avais deux petits frères et deux petites sœurs. Ma mère disait qu'il y avait plein de bébés à bercer dans la maison, et que les poupées, ça servait à rien...

La voix de Marthe se remplit de tendresse.

— Mais plus tard, je t'ai eu, toi! Mon trésor! Ma poupée! Le plus beau bébé au monde. C'est pour ça, vois-tu, que je m'inquiète quand tu tardes à rentrer, parce que je t'aime tant et que je ne veux pas qu'il t'arrive du mal.

Mais la pensée cachée dans la tête d'Aurélie sort toute seule de sa bouche. D'une traite. Si vite que sa mère n'a pas le temps de l'interrompre.

— Maman, le chat noir, il est déjà grand et tout élevé, tu comprends! Il ne ferait pas de bêtises comme un chaton qui court partout, qui grignote les coins des pages et fait ses griffes sur les dictionnaires! Il pourrait rester dehors tout le jour à m'attendre sous l'escalier, il a l'habitude! Peut-être que personne ne va téléphoner, peut-être qu'il est vraiment tout seul!

Marthe sursaute, interloquée.

— Mais voyons, tu ne vas pas recommencer! Il est trop gros, il va manger des tonnes de nourriture! Tu te rends compte combien ça va coûter! Un chat malade en plus! Plein de puces! Et affreux! Arrête ça!

Aurélie se retient de fondre en larmes.

— Il faudrait juste le faire soigner un peu! Il va guérir!

Marthe se lève, exaspérée. Elle ramasse la tasse vide, éteint la lampe d'un geste brusque.

— Et puis il a un maître! On va le retrouver demain! Il va s'en aller chez lui! Tu m'entends, Aurélie? Il va s'en aller!

7

LE CŒUR BRISÉ

Aurélie revient de l'école. Elle se hâte de rentrer.

Ce matin elle n'a pas osé sonner chez Vincent pour avoir des nouvelles du chat noir. Vincent se lève tard. Et hier soir, il avait l'air bougon. Toute la journée elle a été distraite. Le vendredi, en classe, c'est le concours d'épellation. Aurélie n'a pas su les mots-pièges, ni les mots faciles. Dans sa tête elle ne voyait que le chat noir. A-t-il mangé un peu aujourd'hui? Est-ce que son maître a téléphoné?

Elle marche si vite qu'elle passe tout droit devant l'animalerie, ne s'aperçoit pas qu'on a placé une cage dans la vitrine. Avec dedans le chaton bigarré. Elle ne voit pas le minuscule animal, assis, qui regarde attentivement dehors. Comme s'il cherchait quelque chose, ou quelqu'un, et qui la voit, elle, Aurélie. Il pointe son museau vers la petite fille, les moustaches frissonnantes. Il se lève souplement sur ses pattes d'en arrière, appuie celles d'en avant contre les barreaux de la cage, regarde passer la fillette aux cheveux nattés. Lance un petit cri d'appel.

Les tresses d'Aurélie voltigent dans son dos parce qu'elle marche vite. La clé qu'elle porte au cou danse au même rythme. Aurélie a oublié complètement le chaton bigarré qu'elle a entrevu, hier, et qu'elle trouvait si beau. Il la faisait rêver. Mais aujourd'hui elle ne pense plus qu'au chat

perdu, elle s'inquiète pour lui. C'est comme s'il prenait toute la place à l'intérieur d'elle. Le chat noir a besoin d'aide, il a besoin d'Aurélie.

Elle tourne le coin de la rue, grimpe l'escalier en colimaçon. Sonne à la porte bleu outremer, celle de Vincent. Marthe est encore allée à la recherche d'un contrat aujourd'hui, elle va rentrer tard. Vincent, lui, est en congé.

Il ouvre tout de suite. Il a un drôle d'air.

Aurélie se précipite sans un mot dans le salon, vers la boîte de carton où le chat noir semble dormir. On dirait qu'il n'a pas bougé depuis la veille. Il entrouvre les yeux lorsqu'elle s'approche, ses paupières retombent. Il est épuisé. Elle s'agenouille, caresse la lourde tête. Il pousse un petit gémissement. Aurélie se retourne vers Vincent, il a l'air mal à l'aise. Elle ne dit rien. Elle attend.

— Écoute *Sweetheart*, personne n'a téléphoné. Tu avais raison, après tout, c'est un chat errant. Il a l'air de plus en plus malade.

— Mais, balbutie Aurélie, maman ne veut pas que je le garde. Qu'est-ce qu'on va faire, Vincent?

Vincent racle sa gorge comme s'il avait la grippe. Il hésite, fait semblant de regarder le plafond.

— Marthe et moi on a discuté, ce matin, après ton départ pour l'école. On a décidé que si personne ne le réclame, il faut l'emmener chez le vétérinaire. Pour le faire endormir.

Le cœur d'Aurélie se serre si fort qu'elle ne peut presque plus respirer. Ils veulent faire tuer le chat noir! Non! Elle supplie, de toutes ses forces.

— Vincent! Garde-le, toi. Je viendrai m'en occuper tous les jours!

Vincent recule presque.

— Mais voyons, Aurélie, je ne

67

veux pas garder un vieux matou de ruelles chez moi! Il va bouffer ma collection de plantes vertes! Mes violettes africaines!

Aurélie sent que son cœur casse en millions de miettes. Assise sur le tapis, à côté du chat malade, elle commence à trembler. Elle suffoque.

Elle voudrait se lever d'un bond, courir vers Vincent. Le frapper de ses poings. Tirer sa barbe. Cracher des flammes et lancer des tonnes de roches. Lui crier qu'il est méchant! Méchant!

Mais soudain, encore une fois, une idée jaillit.

— Peut-être qu'il n'est pas si malade que ça! À la clinique vétérinaire, ils pourront le donner à quelqu'un en adoption!

8

DES PAROLES TENDRES

À la clinique, la salle d'attente est tranquille et silencieuse. Vincent, tout raide, est assis sur une chaise droite. Aurélie, accroupie par terre à côté de la boîte de carton, parle doucement au chat noir, sans arrêt.

— Je suis là. Je t'aime. N'aie pas peur.

Plus loin une vieille dame serre dans ses bras un caniche nain. Il a une patte dans le plâtre et une boucle rose autour du cou. Un adolescent, lui, tient sur ses genoux une énorme cage avec un

perroquet. L'oiseau n'a pas l'air malade mais il est muet, ce qui n'est pas normal pour un perroquet.

Une dame en blanc s'approche d'Aurélie. Ses yeux sont très calmes derrière ses lunettes.

— Venez, dit-elle, je suis la vétérinaire. Venez dans la salle d'examen.

Dans la pièce blanche et nue, elle soulève délicatement le chat noir, le dépose sur une table de métal pendant que Vincent raconte toute l'histoire en détail.

— Et elle a absolument voulu venir avec moi, finit Vincent, gêné, en désignant Aurélie.

La vétérinaire hoche la tête. Elle a bien écouté.

— Il est vieux, dit-elle, en manipulant doucement l'animal. Ses blessures le font souffrir énormément.

— Mais, tente Aurélie d'une voix frêle, il ne se plaint presque pas.

— Les chats ne sont pas des plaignards, tu sais. Ils sont très courageux. Et celui-ci, c'est un vieux guerrier. Je crois que Vincent et ta maman ont raison. Il faut l'endormir. Il ne peut vraiment plus être adopté.

— Vous êtes sûre qu'il n'y a plus rien à faire pour lui, supplie la petite fille, à bout d'arguments.

La vétérinaire se tait.

— Alors, décide Aurélie, tremblante, je veux rester avec lui. Je ne veux pas le laisser mourir tout seul.

Vincent commence à s'énerver pour de bon.

— Mais non! On va le laisser ici, ils vont bien s'en occuper! Sois raisonnable!

La dame fait un signe discret à Vincent.

— Elle peut rester, n'ayez pas peur.

Aurélie tient dans sa main la patte tiède du chat noir. Elle ne pleure pas, elle retient ses larmes au bord des cils.

— Ça va lui faire mal?

— Non, répond la vétérinaire. C'est une très petite piqûre, il va devenir engourdi immédiatement et s'endormir presque tout de suite. Il ne souffrira pas, je t'assure.

Aurélie tient sa patte, et de l'autre main elle le flatte entre les oreilles. Il ronronne encore. Il faut pencher l'oreille vers son cou pour percevoir son ronronnement, si ténu, si faible que seule Aurélie est capable de l'entendre. Vincent, les bras croisés, se tient plus loin sans dire un mot.

— Vincent, je veux l'enterrer dans la cour, le chat noir. Près du lilas.

— Mais, *Sweetheart*, je ne sais pas si la coopérative...

La voix d'Aurélie tremble, elle balbutie.

— Je ne veux pas le laisser tout seul!

Vincent, à l'autre bout de la

pièce, se tait pendant un moment. Il réfléchit. Il grogne.

— O.K. C'est d'accord. On va faire ça ensemble après.

La vétérinaire, elle, a préparé une seringue.

— Es-tu prête Aurélie?

Elle fait signe que oui avec la tête. Elle ne peut plus parler.

La dame approche la seringue, le chat noir sursaute à peine. Aurélie n'a pas lâché sa patte.

Il respire doucement. Aurélie lui chuchote des paroles tendres. Une berceuse.

— Mon beau minou noir. Mon beau minou qui s'en va...

Sa respiration s'arrête. Son cœur ne bat plus. Ses yeux d'or sont restés entrouverts.

Aurélie laisse les larmes déborder tant qu'elles veulent. Elles roulent partout sur ses joues. Mais le chat noir ne pousse plus de petits miaulements de douleur. Au moins il n'est pas mort tout seul sous l'escalier. Lui qui n'a jamais eu d'amis, Aurélie a tenu sa patte et lui a dit des mots d'a-mour. Alors, c'est étrange, elle se sent un peu moins triste.

9

COMME UNE DISEUSE DE BONNE AVENTURE...

Dans la cour d'en arrière, sous le lilas, ils achèvent de pelleter la terre. Vincent tasse un peu le sol avec la main.

— Voilà. Quand on aura enlevé les vieilles feuilles, le gazon va repousser par dessus. Dans deux semaines, il n'y paraîtra plus.

Sur le balcon du rez-de-chaussée, en face du lilas, monsieur Tremblay, assis dans sa berceuse, sa canne entre les jambes, a tout vu. Il ne parle jamais beaucoup, monsieur Tremblay. Mais quand il parle, de sa voix

un peu fatiguée, il dit des choses étranges, comme une diseuse de bonne aventure. Il fait signe à Aurélie de s'approcher.

— Je vais regarder le lilas tous les jours, ma petite fille, tu peux compter sur moi. Garde confiance. Un jour, j'en suis certain, tu vas avoir un autre chat. Peut-être un chat qui cherche un enfant comme toi. Qui a envie de courir, de jouer, de faire le fou, de partir à l'aventure. De se blottir dans tes bras.

Aurélie secoue la tête, découragée.

— Non. Maman ne voudra jamais.

Au même moment, ils entendent la porte du deuxième étage s'ouvrir à la volée.

— Aurélie! Vincent! Vous êtes là?

Marthe dévale l'escalier qui donne sur la cour. Elle exécute quelques pas de danse sur la pelouse. C'est extrêmement rare que Marthe se mette à danser.

— Ça y est! Je l'ai eu! J'ai eu mon contrat!

— Ah! murmure Aurélie.

— Ah bon! ajoute Vincent en pointant le pied du lilas avec le doigt. Il était temps que tu arrives, toi. Moi, j'ai autre chose à faire.

— Qu'est-ce qu'il y a, fait Marthe, décontenancée, vous n'êtes pas contents?

Aurélie reste muette. Vincent grimpe l'escalier quatre à quatre, fait volte-face juste avant de disparaître.

— N'oubliez pas toutes les deux que demain on fait le grand ménage du printemps dans la cour. Tout le monde participe!

Marthe n'y comprend rien. Monsieur Tremblay se décide à parler.

— Ils viennent d'enterrer le chat noir.

— On... on n'a pas retrouvé son maître? bafouille Marthe,

qui se souvient, tout à coup. Elle se retourne vers sa petite fille.

— Il est... mort?

Elle s'approche lentement, lui tend les bras. Aurélie recule.

— Je suis désolée, ma chouette. Mais quand même, c'est mieux comme ça. Tu as bien compris qu'on ne pouvait pas le garder. On ne peut pas avoir de chat, nous deux...

Aurélie ne répond rien. À quoi bon? Le chat errant est mort. Elle aussi, elle se sent comme morte. Elle commence à monter les marches, elle veut rentrer. Ses jambes pèsent lourd.

— Marthe, ça suffit tu ne trouves pas?

C'est monsieur Tremblay qui élève soudain la voix et qui frappe sa canne contre le plancher du balcon. Sa voix résonne dans toute la cour.

— Avec qui tu veux qu'elle joue cette enfant-là? Il n'y a personne de son âge ici, à la coopérative!

Marthe ouvre la bouche. La referme sans un mot.

10

MAIS OÙ EST-IL PASSÉ?

Le samedi matin, d'habitude, c'est le plus beau matin de la semaine. Le samedi Aurélie et sa mère mangent leurs muffins dans le lit de Marthe. Un muffin aux carottes pour Aurélie, un muffin au son et aux noix pour sa mère. Elles boivent à petites lampées dans les bols bleus identiques qu'elles déposent ensuite sur le plateau au milieu de l'édredon. Du lait chaud pour Aurélie. Du café velouté pour Marthe. Autour d'elles, les albums, et le journal qui vient de tomber dans la boîte aux lettres. Le samedi matin, on lit sans penser aux fautes d'orthographe, on bavarde. Et on peut oublier les graines de muffin partout sur les draps sans que maman se fâche. Après le petit déjeuner, de toute façon, elle fait la lessive.

Mais aujourd'hui, Aurélie n'a pas le cœur à lire ni à bavarder. Elle n'a le cœur à rien. Sa mère est disparue derrière son journal. Le muffin tiède a un goût bizarre. Sur le lait chaud flotte une petite peau blanche, c'est dégoûtant.

Une voix s'élève derrière l'écran de papier. La voix de sa mère n'est pas comme d'habitude.

— Aurélie, j'ai quelque chose à te dire.

Aurélie fixe son bol. Elle remarque que le bord est un peu ébréché.

— Aurélie, tu m'écoutes?

— J'aime pas ça la petite peau blanche sur le lait, murmure Aurélie. Et puis mon bol est brisé sur le bord.

Sa mère laisse tomber son journal. Avec la petite cuillère elle enlève délicatement la peau.

— Tu prendras l'autre, Aurélie, la prochaine fois.

— J'aime pas le muffin aux carottes non plus. Il goûte la vieille poussière.

Sa mère soupire.

— Aurélie, le chat noir, il était trop malade...

— Je le sais, le vétérinaire l'a dit, grogne Aurélie. Elle se tourne contre le mur. T'es méchante! ose-t-elle ajouter, dans un souffle.

Elle égrène son muffin entre les doigts. Elle gronde entre ses dents.

— T'aime rien que les poupées...

Sa mère n'essaie pas de la prendre dans ses bras. C'est mieux. Aurélie pourrait se transformer en volcan.

Derrière elle, la voix de Marthe devient encore plus douce.

— Et si on allait faire un tour

à l'animalerie? On pourrait regarder pour un chaton en bonne santé... Peut-être que...

Aurélie s'arrête de respirer. Elle se tourne vers sa mère, elle balbutie.

— Mais tu avais dit... tu disais... tu... Tu as changé d'idée?

Aurélie saute au cou de Marthe. Évidemment les bols se renversent sur le plateau, l'autre muffin s'écrabouille, mais ça ne fait rien, on est tellement heureuses!

Mais elle s'arrête brusquement. Elle vient de se rappeler le chaton bigarré, dans sa cage, là-bas, à l'animalerie. Et s'il était déjà vendu? Parti?

Jamais on n'a vu Aurélie s'habiller aussi vite. Et tirer sa mère par la main vers l'animalerie à travers les rues du quartier. Marthe n'a pas eu le temps de finir son café au lait. Ni de faire la lessive. Ni encore moins de penser au grand nettoyage du printemps dans la cour.

— Aurélie, arrête de courir. J'ai des choses à te dire. Je ne sais pas si on va trouver un chat à notre goût! Et n'oublie pas que de toute façon c'est toi qui vas s'en occuper. Compris? Sinon, on ne gardera pas ce chat. Il faut le nourrir deux fois par jour, brosser son poil, vider la litière et nettoyer par terre autour. Moi, je ne ferai rien! RIEN! Mais attends-moi!

Aurélie, toujours en courant, fait des promesses. Toutes les promesses que Marthe désire. Même pour la litière. Et elle n'oubliera plus le temps.

— Vite, maman, vite!

Dans la vitrine de l'animalerie, on a mis une nouvelle cage. Dans la cage, un chaton angora, entièrement blanc. Marthe s'immobilise.

Aurélie, elle, entre à toute allure et se précipite droit vers le fond de la boutique. Cherche parmi les cages. Fouille du regard. Non. Pas celui-là. Pas celui-là non plus. Elle court vers le vendeur.

— Monsieur, le chaton avec des taches sur le dos, des taches rousses et noires, et qui était tout seul dans une cage, où est-il passé?

Le vendeur se gratte la joue.

— Oh! le chaton bizarre, avec la moitié du nez orange et l'autre moitié noire? Attends, il est derrière. Personne n'en veut!

Le vendeur passe dans l'arrière-boutique, revient avec une minuscule boule de poils dans les mains. La boule de poils lève la tête. En effet, le museau est à moitié noir, à moitié orange. Et cet étrange motif continue sur la tête et sur le dos. Partout des taches. Ici et là, sur le pelage, et placées n'importe comment. Du blanc, du roux, du noir.

Le vendeur le tend à Aurélie. La boule de poils se met immédiatement à ronronner, un vrai moteur de camion. Aurélie l'ap-

proche de son visage, ses yeux sont verts, il vient appuyer son nez humide contre sa joue. Il l'a reconnue. C'est elle, la petite fille aux cheveux nattés qu'il avait vue passer devant la vitrine.

Marthe s'approche.

— Beurrrk! Qu'est-ce que c'est ça?

Aurélie serre farouchement dans ses bras le chaton bigarré.

— Mais enfin, Aurélie, le chaton tout blanc, dans la vitrine, il est tellement plus mignon!

— Mais lui, il est TRICOLORE, maman!

Marthe veut protester. Elle n'a pas le temps d'ouvrir la bouche.

— Et puis, un chat tout blanc, c'est salissant! Et puis, son poil est trop long, il va traîner dans ton bol de café et dans tes dictionnaires! Mais lui, personne n'en veut! Il est tout seul!

Marthe hésite, elle doit admettre que des longs poils, ce n'est peut-être pas une bonne idée...

— En plus, pour le chaton tricolore, je vous fais un prix spécial, intervient le vendeur, tout content.

11

UN AMI POUR AURÉLIE

— Regardez! crie Aurélie, c'est mon chat!

Elle dévale l'escalier de la cour. Le chaton bigarré, bien en sécurité dans les bras d'Aurélie, les fixe effrontément.

Tous les membres de la coopérative lèvent la tête en même temps. Jeanne et René qui ramassent les vieilles feuilles mortes avec les râteaux. Vincent qui répare la clôture. Monsieur Tremblay assis à la table à piqueniques et qui berce sur ses genoux le bébé Ramondito. Et

Carmen qui pose un immense plat creux sur la table.

— Ah! c'est ça, disent en chœur Jeanne et René, vous arrivez lorsque nous avons presque fini le grand ménage du printemps!

— Et nous allions manger le gaspacho andalou! ajoute Carmen en riant. Venez!

— C'est quoi, un gaspacho andalou?

— C'est une soupe de mon pays que je viens de vous préparer! Un plat d'Andalousie! Regarde, les tomates, les concombres, les piments! Toutes les couleurs sont mélangées!

— Oh! s'exclame Aurélie, comme mon chaton!

Elle soulève l'animal bigarré au bout de ses bras.

— Qu'est-ce que tu en dis, toi? Gaspacho, ça te plaît comme nom? Ou Andalou, peut-être? Mon Andalou!

Elle le ramène près de son

cœur. Il se blottit, il repart en trombe son énorme moteur à ron-ronner.

— Gaspacho, c'est amusant, fait Marthe.

Aurélie réfléchit un instant.

— Mais Andalou, c'est bien plus doux...

— À toi de décider, soupire sa mère. Après tout, c'est ton chat.

Pendant que les membres de la coopérative se rassemblent autour de la table à pique-niques, Vincent fait un clin d'œil à Marthe. Ils se sourient.

— En tout cas, chuchote René à l'oreille de Marthe, elle a des drôles de goûts, ta fille. Tu le trouves beau, toi, ce chat?

Aurélie ne veut pas aller tout de suite à la table avec les autres. Elle caresse la petite tête avec un doigt. Ses jambes la conduisent malgré elle près du lilas. Elle s'assoit au pied de l'arbre. Les feuilles sont presque entièrement ouvertes aujourd'hui.

— Chat noir, murmure-t-elle, je ne t'oublierai jamais. Je te présente Andalou. Lui aussi, c'est un chat orphelin.

Là-bas, Monsieur Tremblay s'est retourné. Il lui fait signe de venir les rejoindre.

La petite fille se lève, toute légère. Elle s'avance vers la table où on lui a réservé une place.

À partir d'aujourd'hui, Aurélie a un ami à elle toute seule.

FIN

REMERCIEMENTS

*L'auteure remercie
l'Union des écrivaines et
écrivains québécois (UNEQ),
Programme de parrainage,
ainsi que
Mme Bernadette Renaud.*

CHEZ QUÉBEC/AMÉRIQUE JEUNESSE

BILBO JEUNESSE

Beauchemin, Yves
    ANTOINE ET ALFRED #40

Beauchesne, Yves et Schinkel, David
    MACK LE ROUGE #17

Cyr, Céline
    PANTOUFLES INTERDITES #30
    VINCENT-LES-VIOLETTES #24

Demers, Dominique
    LA NOUVELLE MAÎTRESSE #58

Duchesne, Christiane
    BERTHOLD ET LUCRÈCE #54

Froissart, Bénédicte
    CAMILLE, RUE DU BOIS #43
    UNE ODEUR DE MYSTÈRE #55

Gagnon, Cécile
    LE CHAMPION DES BRICOLEURS #33
    UN CHIEN, UN VÉLO ET DES PIZZAS #16

Gingras, Charlotte
    Série Aurélie
    LES CHATS D'AURÉLIE #52

Gravel, François
    GRANULITE #36
    Série Klonk
    KLONK #47
    LANCE ET KLONK #53

Marineau, Michèle
    L'HOMME DU CHESHIRE #31

Marois, Carmen
    Série Picote et Galatée
    LE PIANO DE BEETHOVEN #34
    UN DRAGON DANS LA CUISINE #42
    LE FANTÔME DE MESMER #51

imprimerie gagné ltée

IMPRIMÉ AU CANADA